당신만 없는 그리움

당신만 없는 그리움

2020년 10월 23일 초판 1쇄 발행
2020년 10월 23일 초판 1쇄 인쇄

지은이 　|이태우

인쇄 　　|아레스트 (s-lin@hanmail.net)
표지 　　|studio GRIME (ceo@studiogrime.com)

펴낸이 　|이장우
펴낸곳 　|꿈공장 플러스
출판등록 |제 406-2017-000160호
주소 　　|서울시 성북구 보국문로 꿈공장빌딩 3층
전화 　　|010-4679-2734
팩스 　　|031-624-4527
이메일 　|ceo@dreambooks.kr
홈페이지 |www.dreambooks.kr
인스타그램|@dreambooks.ceo

꿈공장+ 출판사는 모든 작가님들의 꿈을 응원합니다.
꿈공장+ 출판사는 꿈을 포기하지 않는 당신 곁에 늘 함께하겠습니다.

ISBN 　|979-11-89129-70-5

정 가 　|12,000원

당신만   없는   그리움

1부, 기억의 다락

2부. 소실점

이 한 권에 담긴 이야기들이
당신의 마음을 물들이길 바라지 않습니다.
당신에게 닿은 그 어떤 이야기도
오롯이 그 맘 닮을 순 없으니.

다만
시선이 머무른 그 어느 시어 하나가
당신 마음으로 인해 물들었을 때
나를 닮았다, 무심코 되뇌게 된다면
그 하나로 그 이야기는 당신 것이라 하겠습니다.

1부

기 억 의   다 락

응고

내 안에 너를 담으니
점점 더 짙어지는 감정의 농도
그 붉은빛이 무엇이든
나를 물들인 건 결국 너였다

어차피 머무르지 못할 인연이었다면
차라리 묽어지는 편이 좋았을 것을

간다는 말도 없이 떠난 네가 남긴 건
끈적하게 말라붙은 감정의 감정
딱딱하게 엉겨 붙은 흔적의 흔적

아물지도 못할 감정의 흔적에
허물지도 못할 흔적의 감정에
속도 없이 자꾸 매만지는
너 없는 이물감

너는 없는데 여전히 짙고
심지어 이토록 딱딱하다

송곳니

친구와 이야기를 하다가
가족과 식사를 하다가
혼자서 운동을 하다가
별안간 내 살이 씹힌다

보이지 않아도 익숙한 어떤 것이 주는 상처는
생각보다 깊고 예상보다 오래간다

마치 너처럼

당신만 없는 그리움

그날
나와 함께 남겨졌던 당신의 우산은
펼칠 때마다 나를
그때 그 빗속으로 데려갑니다

용기 내어 접지 않으면
그치지 않을 그리움으로

반도 안 되는 위로

아무리 이해한다 한들
아무리 공감한다 한들
내 마음이 그대만 할까요
내 감정이 그대만 할까요

다만
반도 안 되는 나의 위로가
텅 빈 그대 마음 비었다 하지 않도록
식어버린 그대 감정 얼어붙지 않도록
한 공간 채우면 그뿐
한 시절 데우면 그뿐

반만 남은 작은 촛불이라도
차가운 어둠 속에서는
빛이라 부르니까
온기라 여기니까

그러데이션

봄의 연둣빛은
여름의 초록빛으로 서서히 진해져 가
낮의 푸른빛은
저녁의 보랏빛으로 서서히 물들어 가

그 사이 어디쯤에는
연두와 초록이 아닌 무엇이 있고
그 사이 어디쯤에는
파랑과 보라가 아닌 무엇이 있어

모든 것은 흘러가고
모든 것은 물들어 가

어느새 갑자기라는 건
그 사이를 보지 못한 우리가 겪는
공백에 의한 충격일 뿐

그러니까
어느새 감정이 식었다고 이야기하지 마
갑자기 마음이 떠났다고 이야기하지 마

너는 너의 사이를 보지 못했을지언정
나는 너에게서 눈을 뗀 적 없으니

그래
허락하는 거야, 이별을

사랑과 사랑이 아닌 무엇 사이에서
서서히 진해져 버린 내가
너와 네가 아닌 무엇 사이에서
천천히 물들어 버린 내가

더는 사랑이 아닌 너를
더는 네가 아닌 너를

눈물로 만든 양초

내게 오던 잠이 길을 잃어
뜬눈으로 어둠을 헤아릴 때
아껴두었던 양초를 꺼내어 밤을 밝히곤 합니다

그리움의 심지를 태우며
응고된 슬픔이 녹아내리면
촛불을 등진 그림자가 빛을 따라 일렁이고
방 안 가득 그대 살 내음 스미어 갑니다

흔들리는 불빛만 멍하니 바라보아도
도리어 잔잔해지는 마음의 동요
완벽한 고요는 아니어도
이처럼 흘려보내는 시간이 아쉬울 것 없습니다

밤이 깊어갑니다
촛불을 그대로 둔 채 단잠에 듭니다
그대를 닮은 그림자가 사라지지 않도록
그 품에 안겨 잠들 수 있도록

밤이 짙어갑니다
그만큼 짙은 그리움에 안기어

너는 내게

너는
김필 노래의 첫 소절이야
목소리를 듣는 순간
아무것도 할 수 없거든

너는
무지개의 빨간색이야
제일 먼저 눈에 띄고
제일 먼저 부르게 되니까

너는
내 하나뿐인 집이야
내가 들어선 순간부터
아무도 들어오지 못하게 잠가두거든

너는
마블 영화의 쿠키 영상이야
모든 이야기가 끝나고도
아직 남아있을 무언가를 기다리게 되니까

미라

차라리
당신을 향한 그리움에 숨이 붙어있을 때
그때 떠나지 그러셨나요

그랬더라면
썩어 없어지기라도 했을 텐데

조금씩 증발해 버린 당신 덕분에
퍼석하게 말라버린 그리움이
죽어버린 향기로도 살아있는 척 웃고 있으니

끝나버린 아름다움마저 사랑인가 싶어
여전히 숭배하고 어루만지고 있네요

바스락바스락
부서져 내리는 줄도 모르고

침묵의 의미

고요해 보이는 바다조차
저렇듯 쉼 없이 일렁이는데

침묵하는 마음인들
그저 고여 있기만 할까

탈피

해변에 서서
바다라는 이름을 가진 거대한 뱀의
탈피를 지켜본다

꿈틀꿈틀 치대던 몸뚱어리가
하얀 허물을 벗어놓고 나면
언제 그랬는지 할퀴듯 삼키고 간
나의 발자국 열서너 개

문득
지워져 버린 흔적의 공백에서
도약을 목격한다
마치 먼 거리를 뛰어넘은 듯 이어진 젖은 발자국

멈추지 않음은 결국
큰 걸음이었다

시간을 삼키는 거대한 바다도
경계를 넘을 수 없는 미완의 야수
도전하는 것은 오히려
경계에 선 내가 아니라 그 밖의 바다였다

그래서 바다는 그토록 비대해지고도
이런 나 하나 삼키지 못해 안달이었던가
그저 걷는 날 따라잡지 못해 분주히 치대었던가

쓰기만 했던 술이
언제부터 달았는지 기억나지 않듯
오늘 역시 파도에 쓸려가겠지

그래도 난 저 앞 어딘가에 서서
고개를 끄덕일 테지
지워져 버린 저 흔적의 공백이
또 한 번 도약했던 그 어느 날의 걸음이라고

멈추지 않아 오늘에 이를 수 있었던
열서너 번의 하루였다고

바꿔보기

그대에게 손을 맡긴 채 따라 걸어보니 알겠다
그대가 얼마나 나를 믿고 있는지

그대 어깨에 기대어 보니 알겠다
그대가 얼마나 나를 편안하게 생각하는지

그대에게 팔짱을 끼어보니 알겠다
그대가 얼마나 나를 의지하고 있는지

그대 팔을 베개 삼아 누워보니 알겠다
그대가 얼마나 나를 휴식처럼 여기는지

그러니 그대도 이제 알게 되겠지

따라 걷는 그대를
어깨에 기댄 그대를
팔을 끌어안은 그대를
내 품에 잠든 그대를

그 모든 순간
얼마나 사랑하고 있는지

메이크업

예쁜 곳을 찾아
맛있는 것을 먹어
좀 더 예쁘게
보다 맛있어 보이게 찍어

멋진 곳으로 떠나
편안한 시간을 보내
좀 더 멋지게
보다 편안해 보이게 찍어

가까운 사람들을 만나
마음껏 웃어
좀 더 가깝게
보다 행복해 보이게 찍어

필터로 꾸미고
해시태그를 달아

보이지도 않는 너에게
외로움의 민낯을 보여주기 싫어서

늦지 않을게요

죽어서라도 멈추게 될 사랑에
해피엔딩이란 있을까요

후회는
늦었을 때만 찾아온다는 것을 알아요

오늘도 난
늦지 않을 거예요
사랑한다는 말도
미안하다는 말도

어찌 될지 모르는 내일이 오기 전에
우리의 오늘을 예쁘게 맺어줄 테니

너의 이름은

물속을 유영하는 새
땅 위를 걷는 물고기
날아다니는 네발 동물

언뜻 들으면 이상한 이야기
하지만

펭귄
망둑어
하늘다람쥐

이름을 들으면 고개가 끄덕여지는 이야기

결국 불가능이란 건
이름에 대한 편견일지도 몰라

불가능한 것이 당연한 이름
불가능한 것이 당연한 것이 되는 이름

어때?
너는 어떤 이름을 가졌니?

그리움의 화원

더는 애달파하고 싶지 않아
발걸음이 찾지 않을 이름 모를 길에
그리움을 묻어 두었습니다

그토록 뜨거웠어도
비우고 잊히는 것은 순간이었습니다
심지에 닿기도 전 사그라져 버린
그 어느 날의 성냥개비처럼

그러나 사랑이란
한 사람을 품는 일
끝내 놓지 못한 사람의 체취는
다시 그리움이 되었습니다

어리석었습니다

보이지 않는 곳에 두었다 한들
그저 이 마음의 한구석

어느덧 만개한 그리움에 둘러싸여
충만해져 버린 사랑에

쓸데없이 용감해지기까지

무책임한 봄은
여름을 서둘러 부르고 말았습니다

나는 어떤 사람이었길래

나는 그대에게 어떤 사람이었길래
그대 숨결까지 헤아리던 내게
이해할 수 없는 이야기 건네려 하나요

나는 그대에게 어떤 사람이었길래
그대 손가락 숨은 점마저 담아두던 내게
기억하기 싫은 뒷모습 새기려 하나요

나는 그대에게 어떤 사람이었길래
그대 시간보다 앞서 기다리던 내게
아무리 머물러도 닿지 않는 흔적 남기려 하나요

도대체 난 그대에게 어떤 사람이었길래
헤아리고 담아두고 기다리던 나에게
이해하기도 기억하기도 머무르기도 힘든 아픔만
안겨주려 하나요

나는 그대에게
도대체 어떤 사람이었길래
도대체 어떤 사랑이었길래

사랑이라는 건

나 같은 사람이
당신처럼 특별한 사람으로부터

나 같은 사람을
당신처럼 특별한 사람이 사랑해 줘서
고맙다는 말을 듣게 되는 것

달

까만 밤 노란 달에
하나둘 소원 담기면
동그라니 차오르는
눈썹 같던 조각달

통통해진 보름달
조금씩 작아져 가면
조마조마 내 소원
언제쯤 이루어질까

하늘 가득 반짝이는
어여쁜 저 별들은
달님이 이루어 준
많고 많은 소원이라는데

달님은 꿈꾸느라
내 소원만 못 봤을까
눈 감은 달님이 미워
잠도 안 오는 그믐밤

조삼모사

행복하다 가끔 우울한 거 말고
가끔 우울하다 행복하고 싶어

다람쥐

겨울을 앞둔 숲속
열심히 먹이를 모으던 다람쥐 한 마리가
두 볼 가득 먹이를 담고도
채 넣지 못한 도토리 하나에 안절부절못한다

큼지막한 그 도토리를 가져가려면
모두 내려놓아야만 하는 다른 먹이들
별수 없이 다람쥐는 도토리를 땅에 묻기로 한다
다시 돌아와 꼭 챙겨가리라 다짐하면서

월동준비를 위해 그 길을 수없이 오가면서도
다람쥐는 그냥 지나칠 수밖에 없었다
그때마다 입안 가득한 먹이들 때문에
때로는 깜빡 잊고 말아서

그렇게 겨울은 오고
얼어붙은 땅 아래의 도토리는 잊히고 말았다

봄이 오자
도토리를 묻었던 자리에 싹이 돋아났다
숨을 틔운 그 작은 싹은

훗날 밑동이 튼튼한 참나무가 되어
다람쥐의 가을을 배부르게 만들고
겨울은 따스하게 만들어 줄 것이다

늘 겨울을 앞둔 삶을 사는 우리가
제일 먼저 내려놓게 되는 꿈

그 꿈을 그저 툭 놓아버리기보다
마음 한편 묻어 두기라도 해야 하는 건
바로 이런 이유 아니겠는가

반만큼의 여백

우산
장갑
1인분
의자
그리고 베개

굳이 둘이 함께해서
혼자일 때조차 여백이 느껴지는 것들

사람이 만든 것

하늘 위의 구름은
늘 다른 빛깔 다른 모양이고
땅 위의 나무들도
늘 바람 따라 다른 춤을 춘다

바다로 향하는 강물은
깊이와 폭에 따라 색도 맑기도 다르고
강물이 다다른 바다도
결이 다른 파도와 높이가 다른 태양을 품고 있다

이상하게도 자연이 만든 모든 것은
시간에 따라 변해가도 온통 자연스러운 것뿐
이상하게도 사람의 손을 탄 것만이
시간이 가도 변하지 않고 온통 멈추어 있다
심지어 사람 손에 숨을 잃은 나무들마저도
어루만질수록 어여쁘게 빛나고 시간은 머무른다

그러니 분명하지 않은가
우리가 만들고 네가 남기고 간 추억이
곧 나의 수명보다 길 거라는 사실은

연민

우린 종종
감정에 속고 있어

눈물이 슬픔만을 말하는 것이 아니듯
웃음이 기쁨만을 말하는 것이 아니듯

연민에 속지 말도록 해

뒤에서 끌어안은 사랑은
끝내 마주 볼 수 없을 테니까

이 나이의 나

나이를 먹을수록
사소한 것 하나하나 느려지는 것들뿐이다

그럴 때면 문득 서글픔이 밀려들지만
그중 제일 초라하게 만드는 건
오히려 젊은 날의 나보다 빠른 단 한 가지,
쉽게 포기하는 일

아니다 싶은 일에 공연히 나서지 않고
어렵다 싶은 일에 섣불리 애쓰지 않는
이 나이의 나, 그 경험과 좌절의 산물

쉽게 과대평가 받는 일들
쉽게 과소평가 받는 나
나는 겨우 이런 나로 살기 위해
지금껏 그토록 서둘러 달려왔던가

어차피 내일 나는 더욱 느려지고
포기는 더욱 빨라질 거라면
오늘 하루쯤은 더 늦기 전에
포기하는 걸 포기하는 것도 좋지 않을는지

하필이면

떠나는 그대를 잡을 수 없어
길게도 드리워진 그대 그림자를
한 움큼 주워 담았습니다

집으로 돌아오는 길
움켜쥔 그림자가 식어가는 걸 느끼며
마주 보던 날의 그림자가 아닌
돌아선 날의 그림자를 담은 것을
후회해 봅니다

어차피 꺼내어 살펴보아도
그림자에는
그대 얼굴도 없는데

해가 저물어 가도 아직 어두운 쇼윈도 앞에
멈칫 굳어 버렸습니다

거울 노릇 중인 유리 위에는
이목구비도 알 수 없는 내가
그림자처럼 서 있습니다

주머니에 찔러 넣은 손 사이로
추욱 늘어진 그대 그림자의 한쪽
구태여 난 끝나버린 사랑을 담아왔습니다

툭

이별에 저물어 간 거리 위로
내 그림자도 함께 벗어놓습니다

봄바람이 찹니다
하필이면 오늘 같은 날에

왜 그대는

지난날 그토록 넘쳐흐르던 강물이
어느새 바닥을 보인다고 해서
그대는 강이라 부르지 않을 건가요

지난날 그토록 푸르던 나무가
어느새 마지막 잎을 떨구었다고 해서
그대는 나무라 부르지 않을 건가요

지난날 그토록 아름답던 구름이
어느새 잿빛으로 물들었다고 해서
그대는 구름이라 부르지 않을 건가요

그런데 왜 그대는
이제 사랑이라 부르지 않나요

바닥을 보이는 우리를
앙상해지는 우리를
어두워지는 우리를

넘쳐흐르던, 푸르던, 아름답던
우리를

같은 비

자고 일어나니
어젯밤 내리던 비가
여전히 내리고 있다

더 오지도 않고
덜 오지도 않는
지난밤 모습 그대로

그래서인가 보다

지난밤의 너와
꿈속의 너
그리고 이 아침의 네가
똑같은 이유가

손에 쥔 그리움이
여전한 이유가

아니까

TV에서 맛있는 음식이 나올 때
처음 보는 음식보다
익숙한 음식이 괴롭고

TV에서 누군가 다치게 될 때
총에 맞는 모습보다
새끼발가락 부딪히는 모습이
아프게 느껴지는 건

그것이 어떤 맛인지
얼마나 아픈 건지
알고 있기 때문이야

그것이 아마도
한 번이라도 사랑해 본 우리가
한 번이라도 이별해 본 우리가

그 좋은 사랑을
두려워하는 이유 아닐까

괜찮아 내 거잖아

이상해

슬픔이란 감정은
내 안에 있는 내 것을 꺼낼 뿐인데
왜 다른 이들에게 들키는 게 두려운 걸까

당연한 걸 이상하게 바라보는 게
정말 이상한 거야

괜찮으니까 그냥 꺼내
뭐 어때, 내 건데

레트로

레트로가 유행이라 옷장을 뒤적였더니
오래전 즐겨 입던 꿈 하나가
어깨를 늘어뜨리고 있다

한창 저 꿈을 걸치던 시절엔
조금 과해 보여도 오히려 자신감이 되었고
나를 향한 시선은 되려 즐거움이었는데
시간이 지나 철든 어른이 되어버린 지금
저 묵은 꿈은 어른이 입는 옷 틈에 끼어
애처로운 나의 시선에 눈치만 보고 있다

가만히 꺼내어 든 꿈을 내 몸에 대어보니
거울에 비친 내가 낯설다
촌스럽다 밀어두던 꿈을 걸치자니
단추도 잠그기 힘든 내 몸이 촌스럽다

다행스럽게도 햇살이 따사롭다

손빨래한 꿈을 햇살 아래 널어둔다
나잇살만 탓하기엔 꿈이 너무 예뻐서
때마침 레트로도 유행이라서

뽀송뽀송
꿈에 숨이 붙는다

햇살이 좋다
이제 운동하러 가야겠다

기억의 다락

비좁은 나의 공간을 떠도는
먼지 같은 추억들

어쩌다 창문을 넘은 햇살에
오랜만에 기지개를 켠다
나 여깄노라고

몸을 사리던 그리움이 그만
걸음이라도 옮기면
나풀나풀 일어나는 너 그리고 너 그리고 너

눈앞을 방황하는 거슬림에
신경질적으로 낚아채 보아도
기껏 잡히는 건 한두 톨의 기억뿐

시간은 추억을 해체하고도
바닥 위로 켜켜이 찌든 감정들만 쌓아두었나
거니는 걸음 나만 있고
겹치는 걸음 너만 없는 빈곤의 공간

올 때는 설레고 머무르면 살 에이는 거기

이별주의

침묵은 알려줘
우리가 오늘 어디에 있는지

아무 말 하지 않아도
시간은 흐르고 공기는 따뜻하다면
마음은 이어져 있고
우리는 움직일 필요 없겠지

그러나 아무 말 없이
시간은 더디고 공기가 가슴에 얹히면
엇댄 마음 그 벌어진 사이로
시선은 지나치고 한숨이 드나들겠지

식어버린 커피가 마지막 향기를 뱉은 지금
우리의 침묵은 어디에 있을까

열두 번의 짝사랑

하루는 스물네 시간이니
나는 그대를 열두 번만 생각할래요

매시간 생각하는 건 자존심이 허락지 않고
반도 생각하지 않는 건 마음이 허락지 않으니

나는 그대를 열두 번만 생각할래요

내 하루 온전히는 아니어도
내 마음 오롯이는 아니어도

그냥 오늘 행복하면 좋겠어

꿈은 쉽게 이룰 수 없는 것이라지만
그렇다고 내 삶을 초라하게 만들면서까지
이뤄야 하는 것은 아냐

아무리 예쁘고 멋진 옷이라 해도
입어보기 전엔 어울리는지 알 길이 없듯
꿈을 이뤘다고 해서 행복하리란 보장도 없거든

내일을 꿈꾸느라
초라하고 힘든 오늘을 사느니
차라리 여행이나 떠나겠어

알 수 없는 행복을 위해
오늘 불행해야 하는 것만큼
슬픈 일도 없으니까

시간은

이런 보잘것없는 나도
시간 위에 던져진 하나의 세상이라
그대 하나 담고 나니 사뭇 깊어지고 말았습니다

그대를 알고 싶다던 생각은 어느새
멈추지 않고 그대를 헤아립니다
머리카락에 내린 빛자락마저
어찌하여 그토록 아름다운지
헤아릴수록 알고 싶은 그대는
어느새 철학이 되었습니다

그대를 알면 알수록 마음은 어느새
그대 하나만을 갈망합니다
내 존재의 이유마저
필연적으로 그대에게 있지 않을까
갈망할수록 갈증이 되는 그대는
어느새 종교가 되었습니다

그러나 시간은
변하는 것들을 위한 합당한 변명
철학은 종교는

달라져 버린 그대 앞에서
헤아림을 멈추고 갈망을 포기했습니다

참으로 알 수 없습니다
시간은 어찌하여 모든 것을 변하게 만들고는
변해버린 모든 것을 고스란히 담아
끝내 변하지 않는 것으로 만들어 버리는지

추억이란 이름의 역사로는 어차피
머물러 살 수도 없는데
뒤로 걷지 않는 시간으로는 어차피
돌아갈 수도 없는데

기어코 시간은
마지막까지 남은 하나만을
사랑이라 부르려나 봅니다

결국 그대가 아니라

안녕

꾸욱꾹 눌러쓴 글씨도 아닌데
한숨 섞인 목소리도 아닌데

이모티콘 없이
마침표 하나 덩그러니 붙은 그 두 글자에
툭 떨어져 버리는 어깨

모든 감정이 삼켜진 작은 창
그 새까만 두 글자

진짜 외로움

혼자 있을 때 혼잣말하는 건
외롭지 않아
함께 있어도 혼잣말하는 게
외로운 거지

혼자 있을 때 허공을 보는 건
외롭지 않아
함께 있어도 허공을 보는 게
외로운 거지

혼자 있을 때 아픈 건
외롭지 않아
함께 있어도 아픈 게
외로운 거지

혼자라 혼자인 건 외로운 게 아니야
함께 있어도 혼자인 게 외로운 거지

이별했다고 해서 외로운 게 아니야
외로우니까,
외로우니까 이별하는 거지

이유를 묻지 않기로 했다

모든 헤어짐에는
반드시 이유가 존재하겠지만
나는 묻지 않기로 했다

이해할 수 없는 이유라면 보내지 않으려 할 테고
이해할 수 있는 이유라면 기회를 달라고 할 테니

그래서 나는 이유를 묻지 않기로 했다
아름다운 사랑을 했다고 해서
이별이 추하지 말란 법은 없으니까

적응

고통이란 건
빈번히 마주할수록 견딜만하다
그렇지만
아프다는 사실은 달라지지 않는다

고통은 그런 거니까

그래서 우린
그토록 무딘 얼굴로도
익숙해졌다 한다

차마
이겨냈다 하지 못하고

청춘(靑春)

갓 스물은 푸른 봄이라
피는 꽃도 많아라

연초록(軟草綠) 짙어갈수록
무지개꽃 만발하니
한 다발 꺾어 품어도 아깝지 아니하고
시들어 사라져도 아쉬울 것 없더라

곱 스물은 깊은 봄이라
지는 꽃도 많아라

진초록(津草綠) 짙어갈수록
덜 익은 꽃 낙화하니
한 움큼 훑어 주워도 되살지 아니하고
詩 들어 묵은 꽃만 독야적적(獨也赤赤) 붉어라

갑(甲) 스물은 여문 봄으로
맺는 꽃만 같아라

시초록(詩抄錄) 짙어갈수록
백지(白紙) 위 꽃 피어나니

한 시절 살다 죽어도 멈추지 아니하고
이름이 곧 시가 되는 시인으로 살리라

손가락

나를 특별하게 만들어 주던
엄지손가락

같은 곳을 바라보게 해 주던
집게손가락

화났을 때만 볼 수 있던
가운뎃손가락

닳은 반지가 예쁘게 빛났던
약손가락

가장 강력한 힘을 지녔던
새끼손가락

다시 한번 포개어 잡고 싶은
열도 아닌 그 다섯 손가락

정 많은 민족

사람들은 참 정이 많아

그릇 하나에 담긴 밥이
누구에겐 부족할 수도
누구에겐 많을 수도 있는 건데

모자라 보이면 그거 가지고 되겠냐며
남기려 하면 그러면 쓰겠냐며 참견하곤 해
내가 먹을 양은 내가 제일 잘 아는데

이별 앓이도 그래
난 이쯤이면 족한데 사람들은 아닌가 봐

벌써 괜찮아졌냐고 의아해하거나
더 울어도 괜찮다며 등 떠밀곤 해

남의 밥그릇 걱정하느라
정작 자기 밥 식는 건 모르면서
사람들은 참 쓸데없이 정이 많아

너의 체온

같은 기온이라도
여름으로 향하는 봄의 기온은 따뜻하고
겨울로 향하는 가을의 기온은 차갑게 느껴진다

너는 변함없이 날 대하지만
사랑이 깊어지던 날의 네 체온과
사랑이 옅어지는 지금의 네 체온이 다른 것처럼

우린 지금
겨울로 향하고 있다

오해

울기 싫어 웃는 척했더니
웃기 힘들 땐 울어야 했어

상처 주기 싫어 이해하는 척했더니
이해하기 힘들 땐 상처 줘야 했어

미워하기 싫어 사랑하는 척했더니
사랑하기 힘들 땐 미워해야 했어

버림받기 싫어 강한 척했더니
강해지기 힘들 땐 버림받아야 했어

솔직할 걸 그랬어

애쓰고도 위선이라 오해받느니
배려하고도 배려받지 못하느니

내가 아닌 모습이
진짜 나라고 오해받느니

허기

허기가 집니다

밤새 뒤척인 탓인지
이른 아침부터 허기가 집니다

어쩔 수 없이 부지런 떨게 된 아침
고슬고슬 밥을 지어 한 상 차렸습니다

따끈한 된장국에 반숙한 달걀프라이
잘 익은 배추김치에 짭조름한 장조림까지
혼자 먹는 아침치고 든든한 편이어서
오랜만에 아주 잘 먹었습니다

그런데도 허기가 집니다

이런 내가 우스워 어이가 없었으나
커피를 내리고 머핀을 데웠습니다

머핀 한입에 커피 한 모금
포만감을 비집고 달콤함이 채워집니다
그윽한 커피 향기는 허파를 채웁니다

그런데도 허기가 집니다
여전히 허전합니다

마지막 커피 한 모금을 목구멍으로 넘기고 나니
내려놓은 커피잔엔 한숨만 가득 남았습니다

눈치를 채고도 모른 척합니다
소란스러운 설거지로 못 들은 척합니다

버리기 힘든 단 하나에 소모되고 마는 감정
오늘도 마음은 주리고 그리움은 살찝니다

묻

너 때문에 그렇게 울고도
그 눈물에 이렇게 둘러싸이고도

결국 내 두 발 딛고 서 있을 곳은
여전히

필요와 불필요

나에겐 밤이 필요해
어떤 하루를 보냈든
지쳐서라도 닿을 안식이 찾아오니까

그러나 밤에겐 내가 필요 없겠지
내가 있든 없든
밤은 그 시간에 존재할 테니까

나에겐 당신이 필요하지만
당신에겐 내가 필요치 않은 이유와 같이

2부

소　　　실　　　점

살고 싶은 아침

어떤 그리움이 내 머릿결을 훔쳐
잠에서 깨었을까
마침 꿈에서도 온통 그대였는데

커튼 사이로 훔쳐보던 앙큼한 아침햇살이
간지러운 잠꼬대를 엿들은 걸까

멀어지는 꿈을 더듬는 내 눈가에
반짝반짝 심술을 부려
헛웃음으로 시작하는 아침

서둘러 내린 커피 한 모금에
비로소 선명해진 그리움 그리고 그대

밤늦도록 그리워하고도
그렇게 한숨 그대를 꿈꾸면
다시 한번 살 수 있는 하루

만질 수 없는 그리움이 희망이 되는 아침
당신이 내게 선물인 단 하나의 이유

소실점

눈을 덮은 일렁임에 보지 못한 그대 얼굴은
어떤 표정이었을까
저토록 멀어지기 전 내가 볼 수 있었던
마지막 앞모습이었을 텐데

혹시라도 돌아보는 앞모습 놓칠까
창피한 줄 모르고 두 눈을 훔쳐보아도
그때마다 뇌리에 남는 건
선명하게 작아져 가는 그대의 뒷모습
그대로의 뒷모습

어쩌면 돌아보지 않는 것이
가장 가깝고 선명하게 기억하는 것일지도
그대는 현명한 이별을 택한 것일지도

미련에 사로잡혀
사라져 감을 지켜본 내게 남은 건
끝내 그대가 없어져 버린 그 길의 끝

살다가 행여 꺼내 보아도
그리움조차 될 수 없을 그 길의 끝

없어져요, 우리

나
소망이 하나 있어요

이제 우리
이별하기로 해요

내일 당장 그대가 곁에 없는 것보다
바로 지금 그대가 곁에 있는 것이
오늘의 나에겐 더 큰 두려움이니까요

함께 있어도 온기가 느껴지지 않는데
사랑이라 부르면 안 되는 거잖아요

마주 앉아도 시선이 머무르지 않는데
사랑이라 부를 수 없는 거잖아요

그대를 잃을지 모른다는 공포가
사랑이란 이름으로 우리 사이에 앉아있을 때
나는 알았어요

없는데 있는 것처럼 보이는 것이

정말 없는 것보다 무섭다는 것을

이제
우리 이별하기로 해요

있는 것처럼 그러지 말고
있는 척 그러지 말고

이대로 없어져요, 우리

어느 날의 부유물

고여 있는 기억은 썩기 마련이다

행복했던 순간이
불행한 지금의 씨앗으로 여겨지고
아름답던 모든 것이
바래진 그리움으로 나를 탈색시키면
사랑했던 이유마저 원망이 되고
잊지 못한 이름도 일그러진다

결국
아름다울 때 버리지 못한 우리에겐
버릴 수 없는 찌꺼기로만 남을 뿐

이런 의미 없는 어느 날의 부유물을
과연 추억이라 부를 수 있을까

좀비

그만큼 순수한 갈망이 어디 있겠어

가지고 싶은 누군가를 향해
아무리 더디더라도
간혹은 기어서라도
눈에 보이지 않을 때까지 다가가잖아

문드러져 가면서도
고통이란 모르는 듯

생명을 다하고도
마치 살아있는 것 마냥

살 궁리

너뿐이라는 말
쉽게 하지 않을래

널 잃고 나면
내 곁에 아무도 없을 테니까

느린 토끼와 빠른 거북이

키가 작은 나는
남들보다 더 많이
남들보다 더 빨리 걸어야만 해

바지런히 움직여도
어느새 앞질러 가는 발걸음들
나는 느린 사람이 되었지

앞선 시선 안에 없다고
그저 몇 걸음 뒤에 있다고
상대적으로 품는 절대 평가
그리고 조언들 또는 허락하지 않은 참견들

등 뒤에 닿는 시선에
몇 걸음 뒤까지 따라온 발소리에
더 많이 더 빨리 걸어야 하는 건 내가 아닌 것을

토끼 중에 제일 느린 토끼와
거북이 중에 제일 빠른 거북이
둘 사이의 거리는 단 몇 발자국
과연 응원받는 주인공은 누구겠어

안식

벗이여,
있는 것과 없는 것이 무어요

한평생 눈 뜨고도 들리지 않던 숨소리와
영원히 눈 감고도 들리지 않는 숨소리는
무엇이 있고 무엇이 없는 게요

보이지 않아도 글자로 건네던 농담과
볼 수 없어서 글자로 건네는 울음엔
무엇이 있고 무엇이 없는 게요

벗을 곁에 두고도 갈망하던, 고독 없는 이곳과
벗을 남겨 두고도 고독 없는, 갈망하던 이곳은
또 무엇이 있고 무엇이 없는 게요

늘 같이 있지 않아도 벗이라 불렀고
이제 영원히 함께 할 수 없어도 벗이라 부르니
도대체 무엇이 있고 무엇이 없다는 게요

벗이여,
나는 이미 스무 살 그대의 울음에도

스물다섯 그대의 울음에도
그대 세포에서 난 눈물이었으니
서른의 그대에게도
서른다섯의 그대에게도
나는 여전히 있고 여전히 사라지는 세포일 게요

그러니 그저 그대는
스무 살처럼 사시오
서른 살처럼 사시오

나는 그저 있고도 없을 테니
마흔 살처럼 사시오
쉰 살처럼 사시오

아껴두어요

당신의 마음을 보여주기 위해서
내일의 마음마저 빌려오진 말아요

오늘의 나는 행복할지라도
내일의 나는 불행할지 모르니

당신의 마음을 보여주고 싶다면
오히려 오늘의 마음을 조금 아껴두어요

오늘의 나는 설레며 잠들 테고
내일의 나는 조금 더 행복할 거예요

사랑이 저물어 가는 시간

너를 바라보는 건
서쪽 하늘의 태양을 지켜보는 것과 같아

어디로 향하는지 알고 있지만
어쩔 도리가 없거든

착각

지금도 아프다고
여전히 슬프다고 하지만

사실
그때 그 순간만큼
아프거나 슬플 수 있을까

다만
뜨거운 무언가에 움찔 놀라듯
네가 떠오르면 반사적으로
아프다고 슬프다고 여길 뿐

어쩌면
이제 더는 그때만큼 아프지도
그 순간만큼 슬프지도 않은 지금이

더욱 아프고
더더욱 슬픈 건지도 모르지

행복도 연습이 필요해

행복이란 건 단기기억과도 같아서
곧잘 잊어버리고 살아

어떨 때 내가 행복했는지
얼마나 내가 행복했는지
금세 잊어버리고 말지

그래서 행복도 연습이 필요해

밥 먹고 마시는 커피 한잔
술 마시고 들르는 노래방
일단 뜨면 지르고 보는 핫딜 상품처럼
언젠가 내게 행복이 되었던 것들이
이제는 행복을 위한 루틴이 되듯

익숙해진 행복은
오랜 공백 후에 타더라도
스스럼없이 탈 수 있는 자전거처럼
필요할 때마다 꺼내어
맛볼 수 있을 테니까

나쁜 사랑

인정해야겠습니다

나는 풍선을 손에 쥔 어린아이였음을
그 둥실거리는 아름다움을 사랑했으나
사실 움켜쥐고 있었음을

손을 놓으면 살폿 날아오를 그 모습
구름 품에 안길 때까지 하염없이 지켜볼 테지만
미소는 잠깐, 결국은 상실이 될 것이기에
쉽게 놓을 수가 없었음을

그러니 또한
인정할 수밖에 없습니다

나의 비좁은 세상 한구석
그 먼지 많은 바닥 위에 누운 빛바랜 풍선이
주름진 자유를 품고 나의 등만 바라보는 것 또한
아직 내가 움켜쥐고 있기 때문임을

손을 놓아도 더는 날아오르지 못해
먼지 위를 뒹굴 그 처연한 모습이

끝내 누구의 탓인지 물어올 것이기에
여전히 놓을 수가 없음을

사랑한다고도
미안하다고도 못하면서
사랑하기 때문에 놓을 수 없었다고
미안하기 때문에 놓을 수 없노라고
입 밖에도 내놓지 못하는 변명만
우물거리고 마는

그렇습니다
나는 그대를 삼킨 사람입니다

일몰

해 지는 하늘 아래 헤어지는 두 그림자
넘어지는 햇살 따라 길기도 참 길구나
걸어도 걸어도 머무르는 그림자에
지켜보는 마음만 해어지고 해어지고

닫혀버린 마음 다쳐버린 마음
어느 하나 맘껏 울고 있진 않았어도
어둑어둑 사라지면 다시 못 볼 마지막에
움켜쥐고 숨겨 쥐고 끝내 품은 단 한 가지

달고 달아 닳고 닳은 일몰 이전의 모든 기억
닳고 닳아 달고 달 일몰 이후의 모든 기억

로드킬

난 그냥 살고 있었고
그저 내 길을 지나고 있었다

인연은 나의 길을 가로질러
너의 삶과 교차하게 했고
나는 너의 길에 너는 나의 길에
뛰어들게 되었다

시간이 흐르고
교차한 길 위에 남은 건
더는 움직이지 않는 나
그리고 너의 파편

동행을 원하는 사랑은 희생을 요구했고
어느 길로든 동행하지 못한 사랑은
끝내 희생자를 만들었다

누구도 책임지지 않고
아무도 애도하지 않는

다녀오세요

다녀오세요

마음은 상하지 않게
냉장고에 넣어둘게요

그리움은 향기를 잃지 않도록
잘 말려둘게요

설렘은 걱정 말아요
돌아온다 기별하면
금방 부풀어 오를 테니

다녀오세요
내 걱정은 말고

오래 걸리지만 말아요
원치 않은 기다림엔 유통기한이 있으니

나, 飛

방황하는 그대여,
그대는 나비의 날개를 가졌다

경로를 알 수 없는 날갯짓은
아름답다 불릴 것이며
마침내 꽃을 찾아 안착할 것이니
방황은 그저 여정으로 기록될 것이다

다만 그 여정에 나를 잃지 말자
나비의 날갯짓은 나비라야 아름답듯이
그대의 날갯짓도 그대라야 아름다우니

봄이 왔음은 나비가 증명하고
이루었음은 그대가 증명하리라

봄을 바람, 봄바람

나무들은 바보 같아

한겨울 훈풍 한 번에
아껴둔 꽃을 피우다니

성급한 희망은 곧
얼어붙는 줄도 모르고

이런 나도 바보 같아

스치는 미소 한 번에
숨겨둔 마음 보이다니

성급한 사랑도 곧
얼어붙는 걸 알면서도

결국은 들키고 만 거야

아닌 척 안 믿는 척했어도
언젠가 겨울은 저물고
봄이 올 거라 기대한 나를

봄바람만 기다린 나무처럼
나 역시
사랑만 기다리고 있었다는 걸

따뜻하지만은 않은 위로

따뜻한 위로에
그만 눈물이 터지고 말았어

이토록 가슴을 헤집는 아픔이
곧 괜찮아질 거라는 말도
이토록 무너져 내리는 슬픔이
곧 익숙해질 거라는 말도
이토록 선명한 너와의 추억이
곧 희미해질 거라는 말까지도

그렇게 소중했던 모든 것이
결국 아무것도 아닌 일이 된다는
마지막 선고처럼 들려서

모를 일

알 수 없다

우리는 어두운 밤보다
밝은 낮 더 많은 시간을 함께 보냈는데도
밤이 되면 꼭 그대가 그리워지는 이유를

알 수 없다

우리는 비 오는 날보다
맑은 날 더 많은 시간을 함께 보냈는데도
비가 내리면 꼭 그대가 그리워지는 이유를

정녕 알 수 없다

이제 우리는 함께 한 날보다
그 후의 날이 더 길어졌는데도
밤이면 비가 내리면
여전히 함께 한 날의 한복판을 서성이는 이유를

체취

사람이 오래 머무른 곳에서는
그 사람만의 체취가 남기 마련입니다
오직 다른 이들만 알 수 있는

그래서일까요

그대가
나의 공간 안에 머무른다는 것을
사람들에게서 듣습니다

언젠가부터 나에게서
좋은 향기가 난다고 합니다
어딘가 달라졌다고 합니다

그러니 그대
오늘 밤도 여기 있어요
나의 곁에 머물러요

이대로 내가 지워져도 좋으니
오늘 밤도 나를 그대로 물들여요

마지막은 내일 알 수 있어

오늘 이 기회가 마지막이 될지는
내일이 와야 알 수 있어

언젠가 내가 죽고 나서야
과거형으로 불릴 그 마지막

삶이 끝나지 않는 한
기회도 끝나지 않아

의지가 필요하다고 해서
꿈이 가진 낭만을 포기할 필요 없어

나만 포기하지 않는다면
끝까지 꿈은 싱싱할 테니까

꿈꾸는 동안

홀로 걷는 나에게
사람들로 붐비는 거리의 화려한 조명들보다
어두운 골목 전봇대에 걸린 나트륨등 하나가
더 큰 위안이 되듯이
잡히지 않는 곳에 있으면서도
늘 견뎌낼 만큼의 힘을 주는 꿈은
희망이라기보다 위로에 가깝다

그래도 나는
위로보다 뜨겁게 오늘을 살아내야 한다
끝내 움켜쥐고
비로소 꿈이었다 말하기 위함이 아닌
그저 나로 살기 위해서

뜨거운 것을 담지 않은 뚝배기는
한낱 그릇에 지나지 않듯
뜨거움을 품지 않은 나는
나로 살 수 없으니

견뎌내야 하는 하루를 부딪쳐 이겨내고
파랗게 멍든 나를 꿈으로 문지르는

그 잠시간의 잉여로움

그래서 꿈은
반드시 이루어 낼 거라는 희망이라기보다
안 될 거라며 밀어내는 세상을 상대로
또 한걸음 얻어낸 나를 위한 위로인 것이다

행복한 꿈도 깨고 나면 잊힐 뿐
정작 가장 행복한 순간은 꿈꾸는 동안이니
잡히지 않는 꿈에 위로라도 받는 지금
나는 가장 행복한 오늘을 살고 있는 것 아닐까

낮달

너도 나처럼 서둘러 나왔구나
너도 나처럼 몸이 달았구나

어디쯤 내 님 오시는지
왜 이리 더디 오시는지
기다리고 기다리다 먼저 몸이 달아
빼꼼히 고개 내밀었구나

나도 너처럼 빛이라도 품었으면
나도 너처럼 눈에라도 띄었으면

왜 이리 서둘렀냐는 내 님 물음에
무엇 하러 나왔냐는 내 님 잔소리에
오시는 길 어두울까 낮부터 나왔노라
혹여 해님 한눈팔까 지켜보러 왔노라

농이라도 한번 툭 던져볼 텐데
웃음이나 한번 슥 흘려볼 텐데

사랑값

거친 길에 넘어져 생긴 상처도
예리한 칼날에 베여 생긴 상처도
고통에 비해 깊지 않아
시간이 흐르면 흔적조차 없을 때가 많다
그랬었지라는 기억의 흔적마저 소멸시킬 만큼

하지만
긴 시간 앓아야만 하는 상처는
눈에 띄는 곳이든 숨겨진 곳이든
흉터를 남기고 만다
언제 어디서 어떻게의 기억마저 새겨놓으며

그대를 사랑하면서도
얼마나 사랑하는지 몰랐던 나는
오랜 시간이 흐르고도
여전히 선명한 흉터를 매만지며 비로소 깨닫는다

그날 그곳에서
그렇게 놓아서는 안 될 사람이었음을
지금 난 그 대가를 치르고 있음을

자도 돼

이제 자도 돼

이 밤
너에게 남은 미련이 무엇이든
어차피 오늘 밤으론 부족해

지난밤을 온통 하얗게 보내고도
이렇게 똑같은 어둠이 찾아오잖아

미련을 베고 어둠을 덮으면
오히려 알게 될 거야

차라리 잠든 밤은
짧기라도 하다는 걸

조난자들

스마트폰 하나만 있어도
내가 어디에 있는지 어디로 가야 하는지
어떻게 가야 하는지 알 수 있는 세상

우리는
길을 잃을 수 없는 세상에서
매일같이 길을 잃고 있다

위로

나는 그늘이 있는 사람입니다
행복할 때보다 우울할 때가 많고
웃음보다는 눈물이 많은 사람입니다

나는 한계가 있는 사람입니다
잘 되는 일보다 안 되는 일이 많고
성공보다는 실패가 많은 사람입니다

나는 오늘만 있는 사람입니다
꿈꾸는 날보다 버티는 날이 많고
희망보다는 후회가 많은 사람입니다

그래도 난
그대를 위로하고 싶습니다

그늘이 있으니 햇빛도 있는 거라고
한계가 있으니 도전도 있는 거라고
오늘만 있으니 어제는 잊는 거라고

나는 그늘이 있는 사람입니다
한계가 있고 오늘만 있는 사람입니다

그래도 난
그대를 위로하고 싶습니다

다만 오늘,
그 좁은 그늘 안에서도
이런 내 목소리에 귀 기울여만 준다면

밤

깊이를 알 수 없는 어둠에 두렵다가도
그 어둠 안에서 비로소 안식을 찾고
때로는 커피 한 잔에 잠 못 이루더라도
내뱉는 호흡마다 마음껏 그리워할 수 있는

고요마저 삼키는 안온이
눈 뜬 상념에 째깍째깍 깨져버리곤 해도
어두운 허공에 그려지는 얼굴 하나로
뒤척이는 설렘마저 낭만이 되는

너는
갖고 싶은 밤이야

페어링

눈만 마주치고도
동시에 번지는 미소

나란히 걸으며
자석처럼 맞잡는 손

자연스럽게 시작되는
끊어졌던 지난 이야기

발이 어긋나도
폴짝 맞추어지는 걸음

너와 내가 우리라서
가능해지는 모든 순간

만나기만 하면 시작되는
신기하고 재미난 공감 능력

울어

비가 울어

바닥을 구르고 창문에 부딪히며
목청껏 울어

어쩔 수 없는 이 밤
맘 놓고 울기라도 하라고
큰 소리로 울어

미쁘지 아니한가

예쁘지 않은 사람은 예쁜 척하면 안 되나
예쁜 사람은 예쁘지 않은 척하기도 하는데

기쁘지 않은 사람은 기쁜 척하면 안 되나
기쁜 사람은 기쁘지 않은 척하기도 하는데

바쁘지 않은 사람은 바쁜 척하면 안 되나
바쁜 사람은 바쁘지 않은 척하기도 하는데

아닌 사람은 그런 척하면 안 되나
맞는 사람은 아닌 척하기도 하는데

아닌 사람이 하면 위선이고
맞는 사람이 하면 겸손인가

나쁘지 않은 사람은 나쁜 척하면 안 되나
나쁜 사람은 나쁘지 않은 척하기도 하는데

꿈꾸는 밤

깊은 밤
창밖 별 하나 헤아리지 못하고
활자 하나 꼭꼭 눌러 담는다

꿈을 향해 걷는 건지
꿈속을 걷는 건지
구불구불 춤추는 글자에
끄덕끄덕 깨달음이 졸면
카페인에 취한 새벽과 함께
또 하루 끌어안은 내일
또 한 번 키가 자란 내 일

오늘을 살고 있기에
내일이 어떻게 될지
내 일이 어떻게 될지 알 수 없어도
먼 훗날 둘러볼 내 생의 도서관을
빼곡히 채울 지금 이 시간
별처럼 헤아려야 할 이 모든 시간

깊은 밤
창밖 별 하나 헤아리지 못해도

잠들지 않은 꿈 하나로
반짝반짝 빛나는 이 밤

내가 나를 제일 사랑하는 밤

나는 내 얼굴을 볼 수 없지만

이상하게도
지금 내가 가진 모든 고민은
언젠가 누군가 내게 털어놓았던 고민과 닮았고
그때 내가 해 주었던 모든 위로는
지금 내게 필요한 위로와 닮았다

아무도 나가지 않는 채팅방

그렇게 모질게 뒷모습을 보인 너를
그렇게 끝까지 돌아보지 않은 너를
어쩌면 모두가 진심이진 않을 거라
어쩌면 지금쯤 후회하고 있을 거라
그래도 조금은 아프리라 믿고 싶은
그래도 아직은 망설인다 믿고 싶은
사소한 그러나 사소하지 않은 하나
두려운 그래서 기대하고 싶은 하나
지우기 아쉬운 추억들이 남은 그곳
떠나면 다시는 돌아오지 못할 그곳

사랑해

사랑해

마음을 전하는 순간
가장 벅찬 그 한 마디

사랑해

꽃에 물을 주듯
마음에 생기를 더하는 그 한 마디

사랑해

돌아서 버린 마음에 던지는
절규 같은 그 한 마디

사랑해

남겨진 것들만 뒤적이다
텅 빈 마음에 울리는 그 한 마디

사랑해

마음을 열고 닫는
유일한 그 한 마디

결로(結露)

내게서 피어난 사랑은
늘 눈에 띄지 않는 구석에서 자라나
조금만 뜨겁게 마음을 달궈도
차가운 현실과 부딪혀 눈물이 된다

눈물 없이 자라는 사랑은 없다지만
초라한 몸뚱이가 세상에 빚일 뿐인 내게
눈물은 그저 사랑을 멍들이는 곰팡이일 뿐

누추한 사랑을 이해받기보다
있어 보이는 이별로 떠미는 것은
미완의 추억이 품고 있는 허영에 기댄
마지막 과대포장이랄까

사랑이 남긴 검은 얼룩을
새롭게 덧칠하는 것조차 사치인 나는
그 앞에 듬성듬성 짐만 쌓아두고
염치도 없이 힐긋힐긋 훔쳐보겠지

이런 나도 괜찮은 사랑 했노라
자랑하며 살겠지

빈곤한 추억에 월세 바치며
내 것인 척 살겠지

도시락

너는 떠났지만
나는 하루 대부분을 사람들 속에서 지내

말하고 싶지 않아도 말해야 하고
듣고 싶지 않아도 들어야 하는 나는
그냥 사람들 속의 사람
그냥 살아가는 사람

그래서 난 점심을 굶어

모두가 배를 채우러 간 그 시간
너를 뒤적여 그리움을 채우려

다시 일과가 시작되면 널 굶어야 하니까

너는 떠났지만 외롭지는 않아
단지 굶주릴 뿐

난 점심을 굶어
굶주린 너를 채우느라
그리고 비로소 이별하느라

어떻게 할래요

참 이상해요

전철 문이 닫히기 전까지
뜀박질을 멈추지 않던 사람이

횡단보도 신호등이 깜빡거리면
주저 없이 뛰어 건너던 사람이

엘리베이터 문이 닫히려 하면
달려가 버튼을 누르던 사람이

왜 그렇게 쉽게 포기하려 하나요
나는 잠시 망설였을 뿐인데

나는 이제 막 도착한 전철이고
방금 깜빡이기 시작한 신호등이며
아직 열려있는 엘리베이터예요

그렇다면 이제 그대는
어떻게 할 건가요

우울증

비도 눈도 내리지 않는
회색 하늘의 창문 안에
나만 두고 흘러가는 오색의 사계

나는 여기 있는데
내가 머무는 계절이 무엇인지
아무도 모르는 저난도의 답지

햇볕 아래 서 있는 이에게는
그늘 안에 무엇이 있는지 보이지 않는 법

왜 당신은
눈이 부셔 찡그린 미간으로
창문 안의 나에게 나오라 손짓하나

어둠에 익숙한 눈으로도
출구가 보이지 않는
미로 속의 나에게

오독의 바다

핑크빛 바다가 얼어붙어
땅 위로 나왔던 고래가 돌아가지 못했다

모래의 파도가 고래의 등을 쓸고
구름이 내려와 고래의 눈을 가렸으나
태양은 심술궂고 바람은 차가웠다

증발한 눈물이 눈이 되어 내리고
봄이 오지 않은 해변에 자리 잡은 만년설의 언덕
그 누구도 고래의 부재를 궁금해하지 않았다

모래가 얼어붙고
핑크빛 바다가 다시 일렁이던 날
파도는 언덕을 훔쳐 갔다
그런데도 돌아갔다 하는 이는 없었다

다만
파도가 남긴 고래의 발자국을 보고도
걸어갔다 하지 않고
헤엄쳐 갔노라 말하는 이들만 있을 뿐

굳은살

늘 같은 자리에 상처가 반복되면
굳은살이 자란다

시간을 삼켜야 자라는 굳은살은
그만큼의 상처를 피부로 덮어
골무가 되고 갑옷이 된다

뜨거운 것을 다룰수록
뜨거움을 모르고
상처를 입을수록
고통을 모르게

뜨거움이 닿는 곳에
고통이 마찰하는 그곳에

그래서일 테다

뜨거운 사랑 몇 번에
아픈 이별 몇 번에

말랑하고 따뜻한 감정을 손에 쥐고도

딱딱하다 차갑다 말하는 이유가

누구 하나 물은 적 없는데
한발 앞서 사랑이 아니라는 이유가

반짝

창가에 기대어 내리는 비를 헤아린다
어디서 오는 줄도 모르고

지붕 아래 있는데도 그리움은 어디로 드나드는지
온통 나를 적시고도 창문을 잔뜩 흐려 놓는다

손끝으로 지워낸 틈 그 사이로 보이던
초록의 잎사귀들 원색의 꽃잎들

큰 나무가 모아 떨구는 커다란 물방울에도
싫은 기색 없이 고개만 끄덕
리듬 없는 반복에도 시선은 거두어질 줄 모르고

아마도 저들은 저 나무를 사랑하는 게 뻔해

쓸데없는 질투에 그리움마저 잊히면
고개를 내민 햇살에 반짝, 보석처럼 빛나는 화단

비 내리던 어느 날
이름 없던 나의 그리움이
반짝이는 추억을 품었다

추해도 좋아

괜찮다고 거짓을 말하고
아름다운 추억으로 남기보다
질척이는 모습으로 남더라도
끝까지 붙잡고 싶어

어차피 우리는 끝나고
후회는 남을 거라면
거짓으로 착색된 후회보다는
날것의 진심이 남긴 후회가 견딜만할 테니

시간도 깨달을 때까지

그대가 이탈해 버린 시간은
그 자리에 멈춘 채 떠나는 나를 지켜봅니다

애써 외면하는 나의 등 뒤에
차갑게 와닿는, 얼어붙은 시간의 시선
떠난 건 그대인데 이 모든 사단의 책임을
시간은 나에게 묻습니다

어쩔 수 없이 털썩 주저앉습니다
따라오지 않는 시간을 어루만지며
당분간 머무르기로 합니다
기다리기로 합니다

다음에 보자는 작별 인사가
때로는 영영 볼 수 없는 이별이라는 것을
시간도 깨달을 때까지

이별이라는 것이
꼭 누군가의 잘못으로 벌어지는
불상사가 아니라는 것도

슬리퍼

편할수록 조심하지 않으면
소리가 나는 법이다

슬리퍼든
사람 사이의 관계든

이렇게 지내요

비가 오네요

덕분에 오늘은
창문만 바라봐도 쉽게
그댈 떠올릴 수 있어요

이렇게 지내요

하루하루 떠오르는 만큼만
그대 기억을 곱씹어요

그대는 기억만으로도 너무 달아
한 움큼 더 꺼내고도 싶지만
이런 내 욕심으로 그리움에 체할까
두 눈 꼭 감고 마음을 닫아요

그대는 없고
더는 피어날 추억도 없어서

욕심이 없는 게 아니라
욕심을 부릴 수 없어서

이렇게 지내요

하루하루 떠오르는 만큼만
조심조심 닳아버리지 않을 만큼만

그대를 떠올려요
그대 기억을 곱씹어요

꽃잎 하나 나뭇잎 하나

그대가 한 송이 꽃이라면
나는 꽃잎 하나 되고 싶소
그대가 한 그루 나무라면
나는 나뭇잎 하나 되고 싶소

아름다운 만개의 시간 끝
단 하나의 색 바랜 꽃잎으로
풍성한 초록의 시절 끝
단 하나의 갈색 나뭇잎으로

봄은 아직 끝나지 않았다고
겨울은 아직 오지 않았다고
끝까지 그댈 위로하겠소
끝까지 그댈 지켜주겠소